劉福春・李怡 主編

民國文學珍稀文獻集成

第四輯

新詩舊集影印叢編　第143冊

【楊正宗卷】

花圈

上海：創造社出版部 1927 年 12 月 15 日初版

楊正宗 著

【曹雪松卷】

愛的花園

上海：群眾圖書公司 1927 年 12 月初版

曹雪松 著

花木蘭文化事業有限公司

國家圖書館出版品預行編目資料

花圈／楊正宗 著　愛的花園／曹雪松 著 -- 初版 -- 新北市：花木蘭文化事業有限公司，2023〔民 112〕

76 面／ 122 面；19 ×26 公分

（民國文學珍稀文獻集成・第四輯・新詩舊集影印叢編　第 143 冊）

ISBN 978-626-344-144-6（全套：精裝）

831.8　　　111021633

民國文學珍稀文獻集成・第四輯・新詩舊集影印叢編（121-160 冊）
第 143 冊

花圈
愛的花園

著　　者　楊正宗／曹雪松
主　　編　劉福春、李怡
企　　劃　四川大學中國詩歌研究院
　　　　　四川大學大文學學派
總 編 輯　杜潔祥
副總編輯　楊嘉樂
編輯主任　許郁翎
編　　輯　張雅淋、潘玟靜　美術編輯　陳逸婷
出　　版　花木蘭文化事業有限公司
發 行 人　高小娟
聯絡地址　235 新北市中和區中安街七二號十三樓
　　　　　電話：02-2923-1455 ／傳真：02-2923-1452
網　　址　http://www.huamulan.tw 信箱 service@huamulans.com
印　　刷　普羅文化出版廣告事業
初　　版　2023 年 3 月
定　　價　第四輯 121-160 冊（精裝）新台幣 100,000 元　

花圈

楊正宗 著

楊正宗，安徽廣德人。

創造社出版部（上海）一九二七年十二月十五日初版。
原書三十二開。

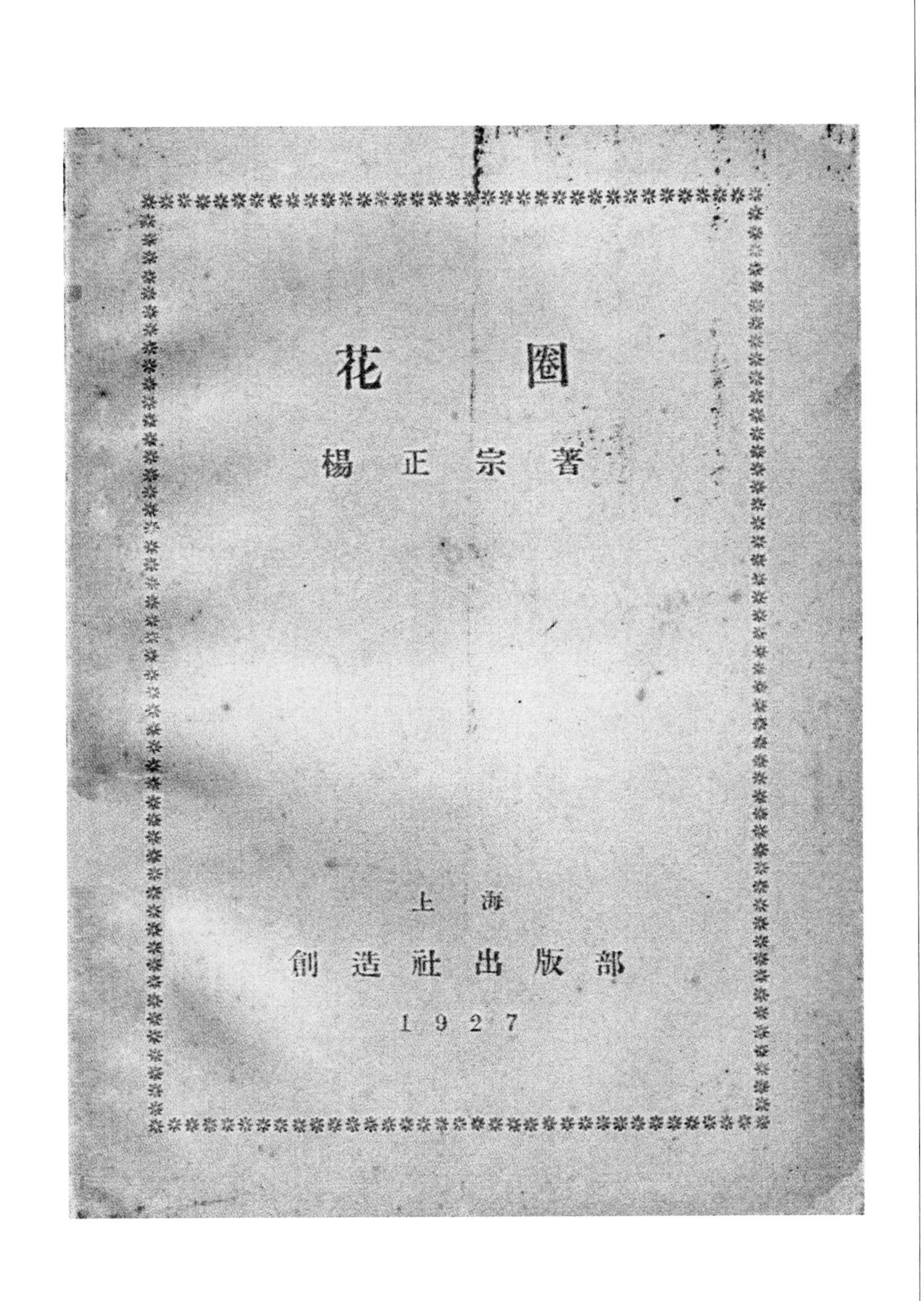
花 圈
楊 正 宗 著
上 海
創 造 社 出 版 部
1 9 2 7

1927 11 1 付排

1927 12 15 初版

1—2000册

每册實價大洋二角半

目　錄

花　圈　篇

獻　酒　篇

〔1〕

花 圈 篇

花　　圈

我把這帶露的花圈，

供獻在你的靈前，

你古老的國魂啊，

且受我這一場薄奠。

這圈上的朵朵鮮花，

燗耀在檀香醇芳之下，

嬌豔，繁盛，莊嚴，

有如你昔日的榮華。

啊！補天的女媧，立國的黃帝，

治平洪水，開闢九州的禹后，

請你們復活呀，

〔1〕

來看看你們手定的神州。
看長城萬里，
猶如一道頹廢的園牆，
牆之內外，隔了一個世紀，
雖則是一樣的春光：
牆外雄巍的王宮，
已銷去了一切的冰霜，
披上一件燦爛的紅衣；
牆內是些將坍的廊房，
滿堆着陳枝腐草，
中有無數的乞丐熙攘。

看魔鬼翻過了帕米爾高原，
金面銀爪，白晝噬人，
手中握着一柄屠刀，
露出兩面的鋒刃，
一面割斷了你經濟的串子，
一面又把民族的豪氣削盡，
還有他豢養着的魔犬，

〔2〕

——那是你不肖的兒孫
終日蹲在閱牆之下
會把你的膏血吸吮

看涿鹿之區——
奠定國基的戰壕，
血肉飛遍了蒼昊，
狐兔離穴，飛鳥離巢。
白登的笳聲迄今未斷，
陰山上的怨鬼猶在泣嘷；
遠望那貝加爾湖畔，
依然生着油綠的青草，
祗是不見了，不見了
持節牧羊的人豪。

看咸陽嵯峨的宮殿，
寶玉琉璃，盡已碎為瓦片。
由這瓦堆中透視過去，
好像宮中猶在高張華筵：

〔3〕

街巷中載來無名的歌聲，
怕是玉指在撥弄管絃；
東風戲舞着幢幢的樹影，
怕是宮女的舞姿翩躚；
你飄零的王孫呀，
還在不在這茫茫的人寰？

看八方雲雨，
會聚於中州，
中州的天才，
已銷歸於烏有！
陳橋幾度更新，
山河已非昔舊；
洛陽橋上，
八仙不再來遊；
啊！九曲的黃河，
洗不盡這民族的恥羞！

看啊，請看南方，

〔4〕

南方有所謂的紅旗飄揚，
那不過是個虛幻的影子，
在空間一閃，旋即消亡。
北方多寒，
雖不及多暖的南方，
而鬼火掠過的荒城，
到處都是一樣；
有誰說黃泉黑壤，
能當得旨酒甘糧！

看啊！看洞庭，看韶關，
關塞巍巍，湖水漣漣，
關頭上吹出了一片笳聲，
吹散了湖上的妖雰狂瀾；
詩人屈平的靈魂被解放了，
他已被壓迫在湖底有二千餘年；
迨笳聲的餘音銷逝了，
妖雰依然籠罩着湖面，
你不幸的靈魂喲，

〔5〕

不知何日再重見青天！

看啊！看潯陽江，
江岸張有魔鬼的鐵網；
看啊！看采石磯，
磯前空立着詩人的碑跡；
看啊！看金陵，
金陵已沒有六朝的金粉！
看啊！看西湖，
西湖祗賸有英雄的俠骨，
那些山色湖光呀，
祇引得遊人的幾回惆悵。

最後，請你看春申江，
千萬隻鬼艦馳逐在江上，
護着兩岸的魔窟；
（那是黃金壘起的門牆！）
他終日在室裏籌計，
窮研着鯨吞的伎倆，

口中吐出餓焰的黑煙，
眼裏射出慾火的光芒，
何時不把你的屍體吞下，
總不肯把屠刀輕放。

啊啊！看不盡的河山，
數不盡的恥辱與凋零，
你古老的國魂啊，
快決定你最後的命運：
振起你舊有的精神罷！
否則請卽瞑目而殞！
（那便子孫的賢與不肖，
一霎時同歸於盡，）
免得扶你起，你快要斷氣，
說你死，你猶在呻吟。
啊！補天的女媧，立國的黃帝，
治洪水，闢九州的禹后，
請你們復活呀，
來看看這垂亡的神州。

〔7〕

這圈上的幾朵殘花，
淪落在悲風寒光之下，
萎靡；頹喪，蕭條，
有如你現在一樣地潦倒。
我把這枯萎的花圈，
仍供在你的靈前，
你古老的國魂啊，
這是我最後的一場薄奠。

十六 雙十節

遊N省的紀念公園

N省的西城之濱，
新建築一座紀念的園亭，
園門上書着血紅的字對：
"舍生取義，殺身成仁。"

園後有松林掩蔭，
森森的寒氣襲人；
前面橫着一帶大河，
流水奏出終古的哀音。

園裏有靑花，有鮮花，
也有蔻藤盤着的花架，

〔9〕

葱蘢的葉兒蓋在架上，
幾粒陽光從縫隙中瀉下。

西邊是一所磚房，
牆上浮着死人臉上的愁光；
千載碧紅的恨血，
染在這卍字欄杆之上。

幾個無聊的遊濮，
在壁上題下憑弔的詩聯：
有的說他們是精神不死；
有的說是熱血洗淨了河山。

東邊是一個曠場，
紀念塔矗立在中央，
塔尖高高地指在空中，
不知要磨滅多少時光。

不要問是光榮抑是羞辱，

〔10〕

或是有無價值地犧牲頭顱，
祗要塔上有個金色的名字，
有些蠢人會爲牠奔走。

哦！園中間是一座西式的亭樓，
樓後伏着一個高大的土丘，
水門汀蓋在牠的上面，
下面橫陳着千萬個骷髏。

落日的餘暉穿過幽林，
墓頭上翻弄着樹的陰影；
一陣狂風吹過去，
好像墓裏的怨鬼呻吟。

可憐我們短短的一生，
嘗盡了生活的苦味；
不曾享過片刻的榮華，
飲過生命的醇酒一杯。

〔11〕

生時是啣着苦杯，
死後又堆着白骨纍纍，
祗惹得遠在天涯的
親愛人兒的幾泓珠淚。

祗可惜我們的頭顱，
祗可惜我們的血淚，
沒有獻給親愛的人兒，
徒供得魔鬼的一場飽醉。

一六，八，六。作於古滕王閣附近。

寒　囚

致黃靜源君之靈

一

這一間間狹小的牢室——
人類良心避難的莊村，
扃上加鎖，鎖上又加扃，
黑暗張着怕人的大嘴，
恣意地想把一切壓氓；
祗有一方斗大的寒窗，
射進來一道光線，
好似情人瑩澈的眼睛。

〔13〕

食在這裏，臥在這裏，
唉唾與糞溺也在這裏，
滿室充着無涯的臭味，
滲着悶窒人的穢氣，
祗壓得個個的鼻腔裏，
奔出來兩條如炬的毒龍，
蜿蜒地，犇馳地穿過寒囚，
矯犍犍直向蒼昊燒起。

趨炎的太陽只曬得綫樓高閣，
月兒也伴着麗人做夢去了，
更不要有無一滴清泉，
一朵鮮花，或一株小草；
黑蝨滿載着恐怖與悲哀，
在活屍的身上亂竄，飛跑，
燕掠地狂馳，虎揪地猛搾，
帆得佢們終日裏慟哭嚎啕。

這兒，有的是嫌疑的犯人，

〔14〕

有的是膽大無忌的凶徒，

有的是明竊，

有的是暗偸，

有的是結夥刼糧，

有的是扎寨賣路，

有的是親手殺死他的仇人，

有的是愛人死於愛人之手。

有的若戰勝了，本應爲王，

但是他敗了，不得不被叫爲寇；

有的享盡了昔日的榮華，

蹇運一來，變爲俘虜；

馬克思，孫中山，列甯，

革命黨，少年國際的信徒，

社會的改革家，宇宙的創造手，

一切不循分的狂人呀，應有盡有。

啊！好一座模範監獄，

是模範人類的歸宿，

〔15〕

人類的生活與意識，

永遠跟着佢們的背後：

恩，怨，仇讎，戀愛與嫉妬，

不斷的努力，不斷的奮鬥，

宇宙若沒有這些血性的健兒，

豈不成個冷冰冰的死石頭！

* * *

朋友，告訴你，須容忍：

"英雄自古遭奇困。"

二

當我們入獄之前，

曾受了一次審判：

堂上的詳詈聲，戒尺聲，

鞭笞聲，叫苦聲渾成一片；

我心裏想，完了，完了，

但我並不十分心驚胆顫，

橫豎成了樹案上的魚肉，

憑他把你如何宰砍。

〔16〕

風狂的餓焰在肚裏翻騰，
皮毛之間，寒氣凜凜：
褸襤的囚衣，尙遮不住體羞，
含砂帶垢的稀粥，
（確乎是囚人的瓊漿甘露！）
一天一餐；一餐祇有一碗，
亦祇能將這可憐的壽命，
一天一天地往下牽延。

晨鐘響了，太陽出了，
我們一羣一羣地
從象欄裏趕了出來，
依次排坐在齷齪的草地；
看一看青天，看一看白日，
看看人家，又低頭看看自己，
待到牧人的高興，說一聲'進去'，
我們又慢慢地爬進欄裏。

〔17〕

深宵，遠從清野與深巷，
傳進來寒柝，一聲兩聲，
幾陣鴞叫，幾度狐鳴，
把弱息的夢魂驚醒，
猶如置身在高大的谷壑，
前衝後退，都是些榛莽叢荊；
或像是墜入古塚荒墳，
左摩右撫，盡都是殘骸潮潤。

我們的世界，祇有饑渴，寒冷，
眼淚，兇暴與殘忍，
悲哀與懺悔與希望，
希望米賽亞再世，上帝降臨。
——宇宙像個死死的東西，
時間故意停着不進，
白晝盼不到黑夜，到了黑夜，
又苦苦地盼不到天明。

* * *

朋友，告訴你，細思量：

"一水牽愁萬里長。"

三

今日，與平時的景象逈不相尒，
周圍的景色異常地慘澹嚴肅：
老囚不再和我們笑談，
禁子拿起皮鞭往返巡走；
就是那平時很和善的副官，
也愁着老臉，眉頭緊縐，
這種種帶來的消息，
定有一件什麼大禍臨頭。

一個猶形的小醜偸進來，
拿去了我們的一個飯碗，
一面幽靈似地走着，
一面把碗放在脅下蓋掩。
'今天又要殺人呀！拿去了誰的碗，
誰就不再吃人間飯！'
老囚這樣地喊起來，

〔19〕

音調十二分地悲慘。

來了三四個兇很的兵丁，
把你渾身的衣衿剝盡，
兩手向背後反着，
中蔴繩在腰間緊綑，
脚上又加上一幅重鐐，
背上插着小白旗一柄，
旗上書標出一行紅字：
"監斬打倒本軍的犯人某某一名。"

朋友，你被牽到刑場上去了，
我這弱息的心靈頓爲一定，
彷彿心中懸着的一塊石頭，
兀的摘下來投入海心；
但是，朋友呀，我的悲哀，
就是這海心的波紋，
你的死就是無情的西風，
使牠永無盡頭，永無止境。

〔20〕

據說，你在未臨刑之前，
痛哭，苦笑，大呼，狂啼：
"全世界無產階級聯合起來，
打倒帝國主義・・・"
屠刀一下，壯血噴飛，
兩萬工人的哭聲，震撼大地，
工人的哭聲與壯士的呼聲，
在太空中合爲一體。

公理完了，正義亡了，
滿空中寃氣瀰漫；
同情的偉大，慈愛的偉大，
赤心的偉大，靈魂的偉大，
被狠心的猶太人，
活活地釘死在十字架下・・・

　　＊　　　＊　　　＊

朋友，告訴你，莫忘記：
"恨血千年土中碧。"

一四，一一，三。

〔21〕

鬼讚

——戰場上的藝術

啊啊！兄弟們喲！
世界已成了鬼的世界，
我們往那裏逃——
人類往那裏逃？
天是這樣地陰沉，
我們簡直看不見路道：
仰頭覷天，
天上有雲霧漫漫；
俯頭視地，
地下有荊棘離離！
雲縫中雖露出幾縷光線，
也祇照着魔鬼的脚尖；

荊棘中雖隱現有幾條小路，
却祇容魔鬼在闢走！
啊！啊！啊！啊！
兄弟們喲！
我們往那裏逃？
眞正的人類往那裏逃？

兄弟們喲！
我們與其在冰窖中打顫，
毋甯到湯火中去罷！
那兒已有不少的夥伴，
在向我們招手。
不要屈服，
屈服是弱者的行為；
不要啼哭，
啼哭是算不得好漢！
我們的祖先，
是獵人，是漁父，
是極野蠻的農夫，

〔23〕

我們要效法他們呀!
我們要告出原人的奮勇,
放起一把無情的大火,
燒呀!燒呀!
要把這地下的荊棘燒掉,
天上的雲霧燒盡;
要蒼天再現出日月星辰,
照着我們,
好建一座燦爛的金城!
啊!兄弟們喲!
前進!前進!

我們攜手前進!

砰!砰!砰!你聽!
我們的槍聲響了
——雝雝之樂在鳴!
不,這不是塵世的音樂,
塵世的音樂,

沒有這麼中肯——好聽！

那怕是我們的天父，

差來的藝術之神，

唱起的歌兒，

雍穆而淸韻！

那眞是的啊，

一切藝術之母，

世界和平的先聲！

兄弟們喲！

你聽！你聽！

百忙中你要抽出工夫，

那是值得一聽！

看！看！火光起了！

西天已燒得在動震！

這便是我們，

施下藝術的手腕，

先染出這幅灼爛而恨人的背景！

啊！兄弟們喲！

〔25〕

跟着加色呀！
加濃些呀！
有了展施天才的地方，
請你大筆一揮呀！
何時不把顏料加完，
累得你筆秃力盡，
不要休息呀！

啊！啊！槍聲呀
——音樂呀！
啊！啊！火光呀
——圖畫呀！
兄弟們喲！
藝術家的創造，
儘在這音樂中，
儘在這圖畫中呀！
我們要奮勇！
我們要猛進！
我們要把這一段

新鮮的歌兒唱盡!
我們要把這一幅
美麗的圖畫完成!
兄弟們喲!
我們要不顧一切地
勇猛精進!
那火球——
我們的頭顱呀,
滾得多麼勇敢!
兄弟們喲!
我們要堅持
這最後五分鐘的時間!

呀!天在推移,
地在轉動!
這回總不是在做夢罷?
那不是的嗎,
東方已微微露出一道白光;
啊!一道白光呀,

〔27〕

那是我們的希望！
兄弟們喲！
來！來！來！
看！看！看！
看向那東方！

好！巍巍的魔宮坍了——
封建勢力之象徵！
餘燄殘光之下，
有千百隻手兒在伸！
兄弟們喲，
那也是我們的兄弟呀！
壓在那宮牆下，
數千萬年無人過問！
你可憐的兄弟們喲，
到今日我們——
你同胞的兄弟才解放了你們的靈魂！
啊！啊！乾坤翻過來了！
烏雲沉澱了海底！

接着現出幾粒星星！
啊啊！星星！
我們的救星！
我們的命！
接着又發出幾滴鳥聲！
啊！鳥聲呀！
你是魔鬼最後的輓歌，
還是我們戰勝的歡迎？

好了！好了！
喊殺之聲息了，
有如風平浪靜！
我們雖作了犧牲，
願把這平靜的生活，
讓與我們的後人！

好了！好了！
黑暗的勢力銷了，
大地上現出了光明！

〔29〕

我們雖作了犧牲，
願把這光明的生活，
讓與我們的後人！

後人呀！
要繼續繪這美麗的圖畫！
要永遠唱這新鮮的歌聲！

*　　*　　*

藝術家呀！
不要僅僅祇看着：
你的畫室，
你的鋼琴！

十六，十，五。

小　艇　中

小艇中裝着往屠門的猪仔，
朋友說，這好似載赴疆場的兵士。

啊！你物競失敗的同胞啊，猪仔，
自從山澤被焚，失了你藏身的槷壘，
人類的樽上之犧，盂中之牲，
成了你賦形生命的終竟；
他們吞嚥不足，又把你供在廟堂，
以誇耀人類戰勝的榮光；
但現在是人類戰爭的時期到了，
你中華狂鬥不武的民族呀，
你看，看這猪仔的命運，
便是你未來的化身！

〔31〕

啊！你愚而堪憐的同胞啊，士兵，
你要成爲民族的干城；
干羽不要再向兩階舞了，
寶劍不要再在隱處磨了，
要認淸你眞正的敵人，
把矢的對着他的喉頭瞄準；
想把民族頸上的冷鍊脫掉，
須得現出你的好身手，
推翻北天現有的冰鰲！

小艇中載着赴疆場的兵士，
朋友們，這好似裝往屠門的猪仔

自由再生

自由，你死了，在這堅壁的重牢，
牆外的陰風送來魔王勝利的冷笑，
持槍的獄卒驅着巨口的狴犴，
在寒囚之外張舞咆哮，
硬要把你這隻可憐的殭屍吞掉。

自由的魂啊！別在這地獄裏含冤，
亦不要往那虛無的妙境去盤桓，
去，去到那美人和壯士的心中，
那兒有熱血沸騰，情燄掀飜，
會把你這紅豆似的苗兒溫暖。

風薰花香，次第薰你成形，

〔33〕

苦雨驕陽，又復煉你剛勁，
我再揚聲唱起'愛之歌'，
喚醒你睡夢中的靈魂，
自由呀，你便在光天化日之下再生。

阿！自由再生了，自由復活了，
模樣兒大不像從前那樣地弱小窈窕；
是爲想預防魔王再來陷害，
豐滿的雙臂，左手握一把利刀，
右手寶劍的寒光已衝出劍鞘。

十四，十，二。於醴陵。

獻 酒 篇

獻　　酒

——春之三部曲——

一

姑娘，

請飲這杯甘醇罷！

　　　你看，

　　春來了，

　春草綠了，

綠上了你的階沿，

翩翩，翩翩，翩翩，

粉蝶兒在草上留戀。

二

姑娘，
且放量地痛飲罷！
　　　你看，
　　春穠了，
　春花紅了，
紅到你的窗前，
浪漫，浪漫，浪漫，
蜜蜂兒在吻着花臉。

三

姑娘，
這是最後的一杯了！
　　　你看，
　　春去了，
　春神死了，
死在你枯老的心田，
悲慘，悲慘，悲慘，
杜鵑兒在啼血哀輓。

我的生命流

我願我的生命流，
流到古鏡的寒潭，
有明月射入中心，
花英落於表面，
潭邊上還有個少女洗浣。

我亦願我的生命流，
流到清澈的幽林，
看白雲飄着，
聽夜鶯歌着，
歌聲中又挺出詩花一莖。

不問是流到舖滿萍荇的淺沼，

或是盛開荷花的池塘，
總要有幾尾紅鰭的魚兒，
一對交頸酣睡的鴛鴦，
猶夷地，夢到自由的天鄉。

可是我的生命流啊，
你竟流到這蒼茫的瀚海，
黃砂，黑霧，灰色的死，
把我的周身包圍着在；
主啊！你一刻不容我的靈魂愉快！

十四，九，二四，獄中。

花　　雕

給——

門外的青驄方急速準備，
花雕滿注在閃灼的銀杯，
四隅燃着光明的火炬
我登上筵席，心已痛碎，——
今宵呀，再祗有這一刻兒歡醉！

不要問前途是黑暗，抑是光輝，
且盡情享受這一刻兒的歡醉；
也不要再提起往事了——那往事！
啊！我們生命途中殘斷的石碑，
被風雨剝蝕得還在墜淚！

〔39〕

今宵呀！酒是這麼甘美，
人是這樣地丰韻靈輝，
請不要爲我們的愛情過慮了，
有你這手兒將我的心房鎖閉，
狂蕩的春風，再也吹不開我的心扉。

也不要爲我們的蹇運傷悲，
命途的礁石不能把愛潮擋退，
涼月之下，你若想着我時，
你喊聲：'愛喲！早些來歸！'

我自會伴着你的芳魂甘睡！
啊！花雕已不在閃灼的銀杯，
門外的青驄已經準備，
西風吹熄了將殘的火炬，
我跨上我的征騎——我醉！
行喲！行罷！行程起去不回！

十五，十一，二八，由滬赴潯時。

[40]

胡　不　歸

你著件死灰色的長衫，
踏着久奔塵世的芒鞵，
（衫上塗滿了腥塵垢膩，
芒鞵又被黃泥嚙壞，）
來到我心扉緊閉的門外，
扣門道："快開門呀！我的愛！
崎崎的世路把我走倦了！"
我應聲便把門兒打開。

〔41〕

悼士基

我昨夜夢入幻海，
有三番竹葉浮飄，(一)
一片被海水吞咽了，
他片發出薤露的哀悼：

"記得陽春發舒之時，
我們來人間游戲，
爲的要多拾幾種貝殼，
我們便離了親切的故枝。

"記得鷲峯麓下，我們誓言：(二)
要在心田裏建一座理想的花園，
培壅出朵朵炯爛的鮮花，
點綴在這荆棘莽莽的人寰！

"我們的言未銷沉——
音浪還在我耳邊擊震，
你不可抵禦的毀滅暴君啊，
攫去了我同心協作的一人！

"智者說，你是天堂號召，
永承帝谷之寵蔭；
這最後的神俗一別喲，
於你爲惠仁，於我爲殘忍！

"抑或說，你是慧劍斬紅塵，
去逍遙於涅槃聖境；
爲什麼這猿啼狐穴的荒郊，
埋着你殭凍的骨冰？

"塌臺依然沒着華茵，
你可能再來與我共枕；
金罍依然滿酌醑醇，
你可能再來與我共飲？

[43]

"這園中鮮豔的紅櫻，
伸出枝臂，放出英唇，
這是我的腕口象徵喲，
你可能再來與我抱吻？

"已矣呀！我同心的愛人
——你荒原亂竄之陰燐，
你聽幾聲哀送夕陽的雞鳴，
你便把生命付與黃昏！

"已矣呀！我同心的愛人
——你曇花偶現之倩影，
繁星濺進的銀河之下，
再沒有你的洞簫瀉韻！(三)

"唉！鮮花不能久生，
荊棘從未見凋零，
這無情的宇宙呀，
有什麼上帝神人！

"唉！一切一切都是空，
一切一切都是夢，
祇有詩人玲瓏的淚滴，
長在人間洶湧！

"我不能再歡歌嬉戲了，
將往幻美的宮中馳騁，
徬徨着，待我最後的時辰；
亡友呀！你可能告訴我的路徑！"

哀悼之聲把我驚醒來，
我猶如置身在幻海之間；
仰首看窗外死沉的雲山，
我不禁淚滲星漢！

(一) 吾與洪君士基，周君自衡，爲兒時最善之朋友，當時曾結一社曰：'竹葉樂'，取三片同蒂之意。

(二) 鰲峯在宣城縣南城，安徽省立第四師範學校在焉，民國六年，吾等同遊學於此。

（三）士基善吹簫，天暑，夜不成寐，每起而弄簫以自遣。

閣

上帝把宇宙交給了黃昏，
有生之倫都漸入夢境，
我又走到這古滕王閣下，
黑流在暗中飛濟，
大自然中寂靜得有些怕人。

草地上現出叢叢的黑影，
碧落上綴着幾滴疎星，
一個落星向西方殞去，
鮮血淋淋的，
觸動了我受創的靈魂。

落星呀，你光明的天使，

〔47〕

再閃一閃你神祕的眼睛，
來到我凄涼的懷裏，
對我說，你是不是她，
是不是她美麗的小精靈？

啊！美麗的小精靈，
我希望之中的光輝啊，
這周遭的物象並不曾變更，
怎麼，怎麼你不帶些歡快，
來與我的夢魂親近！

靈啊！這嫉妬的光陰，
把歡快載上黑輦飛去，
遺下的一些埃塵
——那是歡快的餘影，
終日在我腦中翻映！

這草地上的一塊頑石，
你曾在牠上面坐過，

那時候，綠草吻在你的脚下，
落日的餘暉，
曾在你脚下漾過綺波。

靈呀！還記得否？
彷說你歡快的眼睛，
看這荒涼的草場，
猶是鈎心鬥角的樓亭，
滕王還在與羣僚歡飲。

你說滕王是南面而坐，
羣臣在舉觴獻壽，
左邊坐的是他的王妃，
右邊呀，右邊有一個
紅衣綠裙的宮女在把酒。

你又說，我的靈呀
你說我看來好像滕王，
你自己好像・・・
啊！你臉上驕傲的光輝，

猶如現在閃着的這光明一樣。

靈呀！這欄杆，這窗檻，
我們曾憑牠眺過晚景，
我走過來撫着牠，
一陣酸氣透過來，
我覺得猶有些餘溫。

你手指的記憶如一把利刀，
挖出來我這可憐的心，
懸掛在死神之前，
每分鐘，每秒鐘，每一刹那，
不住地，幽幽地顫震。

我一個人走到東，走到西，
不問是天涯，或是海角，
悲哀的影子，
緊在我後面跟着，
一絲兒歡快不曾尋着我。

來呀！每夜趁着殘宵未盡，

閃一閃你神祕的眼睛，

來到我淒涼的懷裏，

帶一些歡快之火，

使我的舊夢重溫。

十六，九，五。

[51]

夏綠蒂姑娘的肖像

哦！你美麗的姑娘——
上帝精緻的手創，
宇宙間若沒有你，
那便沒有痛苦，沒有榮光，
還有什麽生命熙攘！

看你這雙黑眼睛，
射出來多少歡樂與苦悶；
苦樂都在你身上攸分呀，
阿伯爾是向陽的葵花，
不幸的維特永住牆陰。

看你這蓬鬆的頭髮

——根根鎖住了維特敏銳的神經，
朝露裏，暮靄間，苦月之下，
風吹着你的頭髮顫震
——維特的神經在顫震。

看你這靜謐的酥心，
蘊的是熱火，抑是寒冰？
這上面血般的斑漬，
你是悲維特的淚滴，
還是維特留下的淚痕？

哦！你不幸的維特喲！
你去伏在天帝的座前哀告，
告出了你耿耿的精誠，
天父可允你在無限之前，
與她作永恆的擁抱！

〔53〕

答 孔 澤

我永遠忘不了珠山麓下的名鎮，
我永遠忘不了昌水河邊的荒城，
荒城中秀挺出一朵詩花，
朋友呀，你便是這花兒的象徵！

愧我這頹廢的靈魂，
曾一度與詩花親近；
罪惡的顏色在花瓣上塗抹了，
你花兒的象徵呀！你看！你聽！

我也曾去遊三湘六郡，
去訪那古代的詩人，賈誼，靈均，
他們好像對我說："忘了現實的世界，

去找你的朋友——醇酒婦人。"

配與你攜手納涼在葡萄架底的，
不是我，不是我這頹廢之人；
忘了我，從那東方望過去罷，(一)
那兒有霓裳楚楚，羽衣娉婷。

(一)孔澤將赴美遊學

〔55〕

歌

寂靜無聲的海岸，
樹蔭下坐着一對麗人，
女的唱起哀豔的歌兒，
男的奏着洞簫和應：

芳草爲茵氈，
柳影爲寢衣，
長眠永不醒，
久久兩相依。

苦儂非春桃，
徒把蝶兒招，
無香亦無色，

蝶兒空自擾。

儂願化幽蘭，
置在君案頭，
朝夕爲君伴，
芳心清芬流。

儂願化明月，
爲君永照耀，
秋老歸山去，
月魄葬九霄。

歌聲忽爾地中停，
男的直欲樂極淚淋
他們把人世的一切都忘了，
在作一個深長的接吻。

〔57〕

答 芳 輝

我這流動質的腦海，
卽使沒有燕剪馳拂，
幾乎是蕩漾不寧，
況還有頑石擊震！
物象照在中間，
竟成了模糊的亂影，
叫我怎能反射出
有條理斑爛的章文。

伏在情疲愛痼的荒郊，
——一座冰雪凜冽的家牢，
我好似楓木入了深秋，不得不
穿上血淚慘染的丹袍！

看呀！吾友，看那渺渺的蒼旻，
雲霧是母妻噓吐的怨氣，
寒鴉是她們希望兒女的幻影飛騰，
詩人的靈魂被壓到九重的深淵，
何處去尋那蜃樓幻景？

「上帝呀！我不能在這黑窟中久住了！」
縱然奄息的靈魂這樣泣嚎，
亦不過如這頑石濺起的浪花，
在時間之海裏一閃，轉瞬而又融消：
吾友，你天帝座前的芳輝使者喲，
你若聞着了這將死的兇信，你可要
將宮雉煽燃戀火，玉磬奏起鳳律，
讓火燄把黑暗的愁牢燬燒，
讓樂聲把失魄的詩魂喊好！

〔69〕

昭　昭

——給友人C君的姐姐之靈——

三秋後冷芙蓉體，
一月前亡女兒魂。

"弟弟死，妹妹年青，
我病了，怎麼能結婚！"
佳期早已擇定了，
昭昭只得出了閨門。

"頭昏憒，飲食沒進，
今天怕不能拜見來賓！"
戒指當着人前交換了，

昭昭祗得做了新人。

“身熱灼，心兒顫震，
今夜實不能與你親近！”
玉蘭被馬蜂咬殘了，
昭昭祗覺得一陣心疼。

“賣肉體，又賣靈魂，
怕活不到明年的初春！”
一夜兩夜・・・過去了，
昭昭一月後便丟了性命。

他祗買她的肉體，
並不問她的靈魂・・・

〔61〕

留別南昌

南昌呀！南昌！
你是我第二的故鄉；
爲的有一個親愛的人兒，
才動我幾次相訪。

南昌呀！南昌！
曾幾度令人失望；
醜陋，無聊，俗鄙，
也如我的故鄉一樣。

別了呀！南昌！
願再見你異樣的風光；
滕王高閣不打倒，

你的靈魂總不得解放。

別了呀！南昌！
看這滔滔的章江，
把你的齷齪洗盡了，
再見時當笑語相將。

別了呀！南昌！
我要去尋我駐足的地方，
我如何能知道
在人間，抑在天上？

〔63〕

古墓荒丘

我幾時要闖進一個古墓荒丘，
那兒有野鬼賣的腥紅的醇酒，
我搶着喝了最濃烈的一杯，
我覺得天地茫茫，日月悠悠。

我覺得天地茫茫，日月悠悠，
我的血脈髣髴要停止交流，
眼前朵朵紅花的美圈兒，
顯示出一個未來的豔麗的宇宙。

顯示出一個未來的豔麗的宇宙，
猶如曇花幻景消逝在心頭，
世上好像死了一個無人管的遊僧

冷冰冰臥在這古墓荒丘。

冷冰冰臥在這古墓荒丘。
幽燐會來在我寂爽的身上巡遊，
清風吹到那遼廓的郊外，
我覺得天地茫茫，日月悠悠。

〔65〕

愛的花園

曹雪松 著

曹雪松（1907～1984），生於江蘇宜興。

群眾圖書公司（上海）一九二七年十二月初版。
原書三十二開。影印所用底本版權頁缺。

愛的花園
作者 曹雪松

這些些淺如沙灘薄似蟬翼的詩篇
我慘抱着滿懷的辛酸
敬獻給、
棄我而去的正在燕爾新婚中的蓮

致讀者

雪松

這部詩集裏除了編好後另加入的幾首詩歌以外，完全都是我幾年前在中學一二年級時期初學詩時做的，現在細心前後翻閱一遍，覺得幼稚不堪！我眞不願把這種詩篇問世，免得世人從此把我做詩的這種幼稚的印像深印在腦底；但本書局的主人方先生諄諄勸我把它付印，藉此可留一點童年的痕跡，并可做一個青春時期的熱情的紀念。誠然，當我寫本書裏的這些詩篇時，正在人生中最值得珍貴的青春時期，那時所懷的情感，確是熱烈的，確是奔放的！不過我年紀過青，修養毫無，觀察不深，就詩的藝術程度而言，可以說是完全失敗了。除詩的內部所含的情感的豐富外，不論是內在的意境，或外形的修辭和音律，都不能使此刻的我感到一絲半點的滿意。想到這里，我簡直要想把愛的花園的稿本撕得粉碎。最使我感激的，是我的心友培哥，聽到

愛的花園

我愛的花園，不久將出版，他遙遙地寄信來反對，他大意說：『現在你的詩已大進步了……人家看了愛的花園，如感失望後，恐不願再來看你的第二部詩集墓頭夜泣，這樣，你的墓頭夜泣這部詩集不是被掩埋了嗎？不是受了極重的被寃屈的打擊了嗎？而且還有誰來認識你此刻所做的詩呢？……』培哥這種論調，我完全贊同，爲我詩的前途計，爲維持讀者對于我的信仰計，當然不能把這種淺薄無聊的作品冒冒然出版；可是，現在已遲了，愛的花園全書已排印將竣，如要毀版，在事實上是不可能，而且無端要書局受這意外的損失，我也對不住愛我的方先生。好，不要管它，讓愛的花園就此帶着幼稚的冠冕與世人相見吧！好在我的第二部詩集墓頭夜泣，不久當可出版；并且，我最近在泰東書局出版的一部少年維特之煩惱的劇本，前序和後跋裏，錄有我近作的二首詩在上，讀者閱後，我想總可以明瞭我此刻的作風，和我此刻對于詩的見解和趨向。

～～～致讀者～～～

所以，我在這里鄭重的向讀者申明：愛的花園不能代表我的詩篇，只可當作我熱情奔放的青春時期裏的一個小小的紀念！

十六年十一月一號寫于法界的寓所裏。

8

愛的花園

愛的花園目錄

目　　錄

愛的花園序

一年以來，不大作——這不大作的當中，有幾分是因爲不願，有幾分是因爲不敢——詩了。卽使偶然寫幾句，也有點不願發表，不敢發表。不願的原因，純然是自動的，我也不願說給人家聽；至於不敢，或許有幾分是他動的。然而在我底自覺上，還認爲是自動的不敢。我以爲像我們這種放脚式的新詩，處處都帶着傳統的氣味，是無可否認的。如果新詩壇中，老是充滿着這些半新不舊的東西，未必會得到什麽進步。不但得不到進步，而且也許會阻礙進步的。這就是我在自覺上認爲不敢作和不敢發表的原因了。

我一面有作和發表底不敢，一面卻希望一般青年詩人有作和發表底敢。青年詩人，多數不曾受過舊詩詞底薰習；而且他們有新鮮的頭腦，可以把他們底新情緒、新意境，用新形式表現出來，而成爲眞正天足式的新詩。這雖然不是咱們所希望的新詩底極致、然而要達到咱們所希望的極致，這條路也許是必由的。所以我希望能夠用新形式表現新情緒新意境的青年詩人們，敢作，敢發表！

近來有些自命爲能作深厚有聊（？）的新詩的詩人們，往往喟然嘆道：『新詩之所以被反動派所攻擊，正因爲一般淺薄的青年們，多作而且多發表無聊的新詩，把個新詩塌蹧蹋得蕪穢不堪，以致空穴來風。』於是板起面孔來，大罵青年詩人，把他們很苛刻地駡得一錢不值；我覺得這種態度是不很對的。青年詩人們未曾十分成熟的作品，誠然是幼稚的，誠然是難免疵瑕的。然而咱們對於這些後起之秀，於指出疵瑕之外，似乎還應該有一種誘掖獎進的責任，以鼓勵他們作和發表底敢，而使眞正天足式的新詩，達到繁榮成長之境。因此，我對於青年詩人們作品的態度，是『甯恕毋苛』。

曹君雪松，是一個青年詩人。他底新詩集愛的

～～～～愛的花園序～～～～

花園，能用較新的形式，表現他較新的情緒和意境。雖然間或難免疵瑕，然而這是不足慮的。曹君正在少年，前途未可限量；將來學力猛進，自然能洗盡疵瑕而進於完善。他底詩中，充滿了青年們熱烈的愛。他能將青年們熱烈的愛，赤裸裸地，毫不隱瞞地表現出來，這一點尤其足使咱們認識他底新鮮的頭腦。

不過，我還有一點，要希望曹君注意，而努力於將來的。曹君雖然未必有很深的舊詩詞底薰習，然而把他底詩仔細玩味，似乎依然還覺得有傳統的氣味，流露於字裏行間。所以我希望他還須力求擺脫！

一九二五年十一月六日劉大白于江灣。

3

鄭　　序

近來許多人對于新詩的成功，似乎有些懷疑了。連向來努力于新詩的作家，對于舊的戀慕也似乎一天天的深摯起來。有許多人便眞的放棄了新的途徑，重復向舊坟墓中走去。這不是很可悲觀的現象麽？不，不！我們相信新的詩徑是不錯的，是終于要成功的，是終于要在中國的文學史上劃一個光明的時期的！讓他們舊的走舊的路，懷疑的去唱他們自已的輓歌，我們是要向光明走去的！不管他新詩的作者現在是如何的幼稚，我們總抱着樂觀，期待着他的更遠大的成就。他們這條路已經走得不錯了，所缺乏的只是藝術的修養或豪放的熱情而已。偉大的新詩人一出現，一切的懷疑與躊躇便都要冰融雪消了。

曹雪松君是我去年才認識的朋友，他對于一切的文藝，都很熱心。他常常登台演劇，也常常以他

鄭　　序

自己的經驗與熱情，寫作新詩，最近成了這一冊詩。我讀了他的這一冊詩，很感到他的青春奔放的熱情與他的過去的有趣生活。雖不敢說在這一冊詩集裏他已經成就了偉大的成功，然而成功的「希望」是很懇摯的等候在前途了。

什麼人向光明走去的，終將達到了光明之境。露松只要努力走去！

鄭振鐸十五，三。九。

自　　序

我的詩歌，是從母親的眼淚，小妹妹的笑容和戀人的愛情交織而成的。它好像是憂鬱海里汹汹的波濤，又好像是快樂園中含苞待放鮮嫩的蓓蕾。

但是，我的詩歌終不願給人欣賞，一則是因爲它是尚未開放的花兒，人們看了，恐怕得不着什麽快感；一則是因爲現代的人們，心湖里塡滿着一塊塊的鐵石，看了非特興不起同情之波，且還要駡我一聲『時哭時笑的狂徒』！

往昔我的詩歌，每遇月朗風淸的夜里，便在窗前花下譜入琴絃里彈弄，小妹妹立在身旁，張着櫻桃般的小嘴，拍着鵝絨一般嫩的小手，輕輕地唱着我敎伊的歌兒。後來我的小妹妹死了，儌倖遇着一個美麗的女郎，伊的聰明，伊的伶俐，無一不像是我爛漫天眞活潑多姿的小妹妹；于是，我便把這女郎認做我的小妹妹了。我每寫出一首新詩，便錄在

自　　　序

美麗的信箋上贈給伊看。伊讀一句，總是要淌一滴眼淚；讀終一首，總是要伏在檯上暗泣一回。但是，如今呀，伊又屬了他人了！唉，不幸伊又屬了他人了！此後我的詩歌將贈給誰去看呢？啊，此後我的詩歌更將贈給誰去看呢？

唉唉，可憐我如今只得在陰風晦月的夜裏，自做自唱，自彈自聽了！但是，但是自做自唱，有什麼趣味呢；自彈自聽，更得着什麼安慰呢？

親愛的未見面的讀者呀！如今我不得不把我的詩歌捧在手中，哭着一首首獻給你們看；更不得不把我的琴絃抱在手裏，跪着一聲聲奏給你們聽！

在我淒清的歌聲哀婉的琴絃裏，對你們並沒有什麼奢望，但願它能一次——僅僅只要一次——落進你們溫暖的胸腦裏，而得到你們滴下一滴——僅僅只要一滴——同情的熱淚便好了！

一九二五，一二，二八，雪崧于上海大學。

7

愛的花園

啊啊！我何等的愉快，何等的歡樂呀！
在明媚的春光溫和而柔軟的春風裏，
躑躅彷徨在迷惘之途上的孤獨的我，
今天居然也走進這座美麗的愛的花園！

園裏的樓閣梓榭是如此地如此地華麗，
遍地的花卉草木是如此地如此地鮮豔；
善於歌唱的小鳥，樂於跳舞的小蟲，
是美麗活潑到比什麼也都美麗活潑！

那開滿白如雪花的百合花散出的馨香，
和紫得比紫丁香還紫的紫羅蘭的馥郁，
紅得像戰士劍上的血的玫瑰花的芬芳，
醺醉得我如在幽靜甜妙的夢境裏一樣。

愛的花園

并且，我的豔麗的如安琪兒似的愛人，
也正在那薔薇叢中編着花圈來歡迎我；
當我如野鹿一般的奔向到伊的身畔，
伊便把奉獻我的花圈戴在我的頸上，

我用我的爲熱情而顫抖的雙手，
抱住伊纖纖的如柳條般的腰兒；
伊把伊比胭脂還紅葡萄還甜的芳唇，
貼近我的嘴邊和我行甜蜜的接吻禮。

靠身旁一灣愛河裏的汩汩的流水聲，
比叮叮噹噹的鋼琴聲還要好聽，
比彬彬淋淋的琵琶聲還要好聽；
聲聲像是在那誘惑我們去和它親近！

于是，我們脫了我們身上所有的衣服，
赤裸裸的並肩聯臂走入愛河裏去沐浴；

愛的花園

晶瑩的澄澈的柔波爭來和我們親吻，
雙雙的比目的鰈魚也來和我們嬉戲•

我們浴罷卽虔虔誠誠的去叁拜愛神，
幷且，我們在這聖潔的愛神的寶座前，
齊着步伐如蜻蜓撥水蛺蝶穿花似的，
嫋嫋娜娜翩翩躚躚不住地輕歌曼舞了！

溫柔的風嘻嘻吁吁吹在繁花的枝頭上，
宛似爲我們奏着美妙的淸脆的舞蹈曲；
綠楊蔭裏碧柳深處的嘰嘰喳喳的鳥聲，
宛似爲我們唱着優婉的甜蜜的讚美歌！

啊啊！現在，我們的靈肉都已沈醉了，
沈醉在這自然的和愛的音樂聲中了！
塵寰中的悲哀呀，人世間的苦悶呀，
却不知到那里去了，不知到那里去了？

11

~~~~~~愛 的 花 園~~~~~~

『綠 意』

——贈某女郎——

紅的葡萄酒我已喝醉，

我如珠的歌喉，

已唱不出甜美的快樂之歌；

我如狂的靈魂，

已深深地浸沒在血海裏。

仰首，只看見鮮紅的流霞飄蕩，

俯耳，只聽見澎湃的血潮奔放，

啊，淺嫩的鮮花也無縱無影，

清淡的「綠意」更到何處去相尋？

啊，我往日所愛戀的「綠意」呀，

你叫我到何處來相尋？

告訴我：你究竟在什麼地方？
~~~~~~

綠　　　　意

是在渺渺的清淡的湖心中，
還是在飄飄的輕盈的碧空裏？

假使在清淡的湖心中呀，
我定要變一朵銀色的小浪花，
由這圈波紋裏跳入那個濤頭裏，
由那個濤頭裏更鑽入那圈波紋裏，
跳跳鑽鑽一直跳鑽到湖心，
尋到了我心愛的「綠意」爲止。

假使在輕盈的碧空裏呀，
我定要跪着懇求風姨，
允許我附在伊的翅上，
飛過了林梢，飄入了雲霄，
飛飛飄飄一直飛飄到碧空，
尋到了我心愛的「綠意」爲止。

13

愛的花園

當我未喝紅的葡萄酒時，
在陽春三月的麗日裏，
芳樹都披上嫩綠的風帔，
羣花也放出新嫩的香氣，
我曾如癡如夢般，
躺在綠茵鋪滿的芳草地上，
下視綠波湛湛的春水的流動，
上看綠意絲絲的柳條的飄拂。
那時，呵，在那里那時呀，
我曾用我如珠的歌喉，
唱過甜美的快樂之歌！

當我未喝紅的葡萄酒時，
在涼秋七月的深夜裏，
碧空中沒有一些些的雲翳，
大地上也無一息息的聲響，
我也曾悠悠地駕着一葉扁舟，

綠　　　意

用槳兒一波波一浪浪地剗進湖心，
上看萬頃浩波的如碧琉璃般的天空，
下視一色淡綠的如電燈光般的湖水。
那時，呵，在那里那時呀，
我也曾用我如珠的歌喉，
唱過甜美的快樂之歌！

只是，如今呀，
盈盈的一杯紅的葡萄酒，
剛剛才喝上了幾口，
我的身兒先已醉倒，
我的靈魂也已麻木，
我的歌喉也已刺啞；
回首看「綠意」，
更不留些微痕影！

啊，我往日所愛戀的「綠意」呀，

15

愛的花園

你叫我到何處來相尋？

告訴我：你究竟在什麼地方？

是在渺渺的清淡的湖心中，

還是在飄飄的輕盈的碧空裏？

一九二五，一二，二七，于上大。

歸　　　鄉

晚鳥負着煊紅的殘霞歸隱，
黃昏拖着玄色的長裙飛行，
我胸腔中滿懷着悲羞酸辛，
暗淡地偷上歸鄉的路程·

我要把路程如絲般抽長，
免惹我母親即時見了心傷；
但不停流的時間不肯相讓，
不久終于把我送到家鄉！

莫看我瘦比黃花的面容，
莫想我海濱飄零的苦痛；
母親！不求你憐憫，但求你怨恨，
好使我不孝的罪惡稍稍減輕·

愛的花園

什麼凱旋歸來，什麼衣錦還鄉，
當初美麗的黃金般的夢想，
而今都如輕烟在空幻中飄蕩。
憶起前情呀，禁不住眼淚汪汪！

湖　　濱

白雲淡淡地在天邊逍遙，
落葉輕輕地在湖面飛飄，
幾株消瘦的紅蓼，
低頭默默靜悄悄。

哦，何處來的一陣清脆的歌聲、
絲絲縷縷從紅蓼花中曲折地飛迸？
不知是雕梁畫棟上的紫燕喃喃，
還是碧柳深處的歌鶯嚦嚦？

去年今日，啊，去年今日呀！
彷彿也是在這個清幽的湖濱，
彷彿也是在這個薄暮的時分，
我曾與那人兒在這里漫聲低吟！

愛的花園

輕微的湖風挾着悠悠的詩情，
飛吻在湖岸上叢密的林葉裏，
發出清婉的纖纖豔豔的響聲，
聲聲像是在歡賀我們綺錦的青春！

但是，而今呢，往事都成夢影，
已逝的歡樂也永不再臨！
唯有當時剩餘的哀音，
尙繚繞在我的耳際隱隱！

啊啊，你這繚繞在我耳際的哀音呀！
逍遙的白雲也能散離，
飛飄的落葉也能消除，
但你却爲何終于依戀我而不去？

海的歌聲

點點的銀色海鷗在天空優遊地遨翔，
閃閃的白色浪花在水面朵朵地迸放；
啊，我久所渴慕着想見而終未見到的海面，
如今果然如夢般親切地呈現在我的眼前！

海的偉大海的壯麗，已把立在海濱的我忘記。
任憑海潮頻頻來打擊我足下所踏着的岩石
任憑飛濺起絲絲如細碎的雪片般的浪花，
怎樣濕透我全身的衣襟，但是我也毫不動心！

記得前年三月三日凄清的深夜的幽夢裏，
在這個金汁奔流銀浪紛飛的雄偉的海濱，
曾找到我十年相思如一日的拜倫的精靈，
曾看見我一生敬仰唯此人的雪萊的詩魂！

愛的花園

現在，日光黯淡黃沙飛，海景夢影兩相似，

只是找不到拜倫的精靈，尋不着雪萊的詩魂！

啊，我恨不得叫海天飛翔的鷗鳥來背着我身，

鑽入那波心海底去聽我們詩祖的海的歌聲！

于炮台灣

~~~~~~淒　　　　涼~~~~~~

淒　　涼

散步在荒蕪的郊野裏感到淒涼，
漫遊在清麗的花園裏感到淒涼；
落花成陣的暮春三月感到淒涼，
金風飄香的中秋佳節感到淒涼。
呀，滾滾的人海茫茫的宇宙中，
到處都是淒涼，到處都是淒涼！

當我如花的愛人兒未棄我之前，
我嘗把我這顆冰樣淒涼的心兒，
安放在伊軟綿的語聲溫熱的淚泉中；
當我活潑潑的小妹妹在生之時，
我更把我這顆冰樣淒涼的心兒，
寄跡在伊淺嫩的微笑爛熳的天眞裏。

春光闌珊紅雨繽紛的淒涼時節，
~~~~~~

愛的花園

我的愛人兒常拾起飄殘的薄命梨花，
含着酸淚吻了復吻又再轉給我吻，
在花片上斑爛的點點淚影吻痕中，
密織着我紛亂的凄然心意；
但這心意在無形中却能找到同情！

秋意深湛落葉飛零的凄涼時節，
我小妹妹常在銀光瀉照的幽林中，
吹着嗚嗚的簫兒像那幽泉淙淙，
唱和着的更有滿林唧唧的秋蟲，
在清冷的簫聲裏吹出我冰涼心情；
但這心情在無形中却能感到歡欣！

然而，現在我愛人兒已離得我遠遠，
我小妹妹幽冷的墳頭上也黃花開遍；
踏盡了往日舊遊的郊野園林，
也找不到一絲凄涼中的歡情！

凄　　涼

過去的景影，都已變成天末片片幻雲，
回憶舊情，唯有靜靜地痛哭傷心！

散步在荒蕪的郊野裏感到凄涼，
漫遊在清麗的花園裏感到凄涼；
落花成陣的暮春三月感到凄涼，
金風飄香的中秋佳節感到凄涼。
呀，滾滾的人海茫茫的宇宙中，
到處多是凄涼，到處多是凄涼！

～～～～愛的花園～～～～

喊妳一聲

我所飲的愛的甘露，我所喫的愛的甘菓，
　統統都是妳一人所贈給我的呀·
姑娘！妳簡直好像是我的母親，
　我好像是在妳母親懷中的一個孩嬰·

我疲倦的時候，妳站在我的搖籃旁，
　用手輕輕地有節奏地搖着我的籃，
口中唱着清脆的聖潔的安眠歌，
　聲聲送我入快樂的夢的天國裏去·

我飢餓的時候，妳解開了粉紅的內衣，
　露着柔滑而潔白的乳頭來哺我；
我飲了妳這潔嫩如清露般的乳汁，
　在心的深處開着美麗的知慧的花兒·

喊妳一聲

呵，姑娘！妳的的確確是我的母親，

讓我來恭恭敬敬的喊妳一聲——

喊妳一聲「我的親愛的母親」！

再喊妳一聲「我的至親至愛的母親」！

——一九二三，四，六于吳門——

~~~~~愛的花園~~~~~

美麗的死

黄昏裏，雲消天空，萬籟無聲，
他提着一瓶新釀成的白蘭地，
伊端着二盤剛燒就的大弓蝦，
走到那薔薇叢中坐下對酌着。

晶瑩而皎潔的月亮照着他倆，
把他倆瘦長的影兒併在一起，
淡淡的，隱隱的，約約的，
好像荷池中新開的一朵並頭蓮。

他倆的眼珠斜睨着他倆的雙影，
手兒儘是舉着杯兒送往嘴裏；
逢到甘願交換杯兒的時候呀，
便在汪汪的酒杯裏互相親吻。
~~~~~

美麗的死

他，生平素不嗜酒的他，
為了樂這花，光，愛並在一起，
喝一杯，再喝一杯，
居然也喝到個陶然大醉。

待月亮高高的爬上柳梢，
他的身子已醉到支撐不住了。
他顫顫的，搖搖幌幌的，
像是狂風駭浪中的飄蓬一般。

伊張開了伊柔膩的雙臂，
把他這醉透了的身子扶住。
他輕輕地，懶洋洋地，
順勢倒在伊溫軟的懷里。

他瞥見伊一雙柔膩的玉臂，
以為是兩節鮮嫩的白藕，

29

便用力在伊肘上咬了一口，
鮮紅的血點點滴在他的嘴裏•

伊受了這痛中含甜的愛的瘡傷，
不禁把扶在他身上的手兒縮回；
在伊縮回手兒的那時呀，
他却如泥的跌倒在伊的裙下了•

伊在伊袋中摸出一方絲帕，
把伊的瘡傷緊緊的紮着；
俯下身子再去攙地上的他，
那知他竟長眠在這薔薇花下！

伊的淚珠滴在他的頰上，
他頰上却微微現着一絲笑容；
并且伊的耳畔似乎聽見說：
「愛人呵，你別爲我悲傷」！

美麗的死

于是伊脫下羅裙裹着他的尸體，
復採擷一束鮮紅的花朵，
攀折一抱嫩綠的枝葉，
撒在他身上，就把他在此埋葬。

然後呀，再屈着伊的雙膝，
像個教徒跪在聖母像前，
恭恭敬敬的做一番祈禱，
最終却淚落如綫，幷失聲而嗚咽：

「啊啊，郎哥呵，我的郎哥！
你竟長眠在薔薇花下嗎？
我求你，我求你睜開眼睛，
再看我一眼，再來看我一眼！

啊啊，郎哥呵，我的郎哥！

31

愛的花園

你竟永棄了你的愛人嗎？
我求你，我求你張開嘴唇，
再喊我一聲，再來喊我一聲！

唉，可憐你那能再會看我一眼？
可憐你那能再會來喊我一聲？
我知道，深深地知道：從今後，
不會了，永永遠遠地不會了！

固然，這樣在你是十分愉快的；
可是，唉，我的親愛的郎哥！
在我，在你身旁邊的我，
卻怎樣的難過，怎樣的難過！

啊啊，我羨慕你，十分羨慕你！
像你這樣的美麗的一個死。
假使你能復活呀，我也願

~~~~~~美麗的死~~~~~~

長眠在這薔薇花下，愛人身旁！

然而，然而事實上那里能夠呵？
已死的人那能再有復活的道理？
啊啊，郎哥呵，我親愛的郎哥！
你比我幸福，你畢竟比我幸福！

你死了，有我知道有我來哭你，
有我用羅綃裹你，紅花綠葉葬你；
我死了，有誰知道有誰來哭我？
更有誰來裹我？更有誰來葬我？

但是，唉，但是，我若是不死，
此後這寂寞的歲月怎樣能過？
孤獨的單零的沒有愛人的人，
在這人間還有什麼生的趣味？
~~~~~~

~~~~~~愛 的 花 園~~~~~~

并且在這滿佈着罪惡的世界裏，
處處設下陷阱，何處去找安身？
久所處的愛的花園已隨你而逝，
對這灰色的人生何用再行留戀？

我死了，假若我如今死了，
雖沒有人來哭我裹我葬我；
但在這薔薇花下愛人屍旁，
比尋常的死却勝過百倍了！

啊啊，郎哥呵，我的郎哥！
我願你，我願你的靈魂兒，
來，來……把我同得去吧！
來把我和你一齊同得去吧！

啊啊，郎哥呵，我的郎哥！
但願你，但願你的靈魂兒，
~~~~~~

~~~~~~美麗的死~~~~~~

來把我……一齊……同得去吧！

快來……把我一齊同得去吧！」

伊的清脆的悽愴而悲切的泣聲，

像是子規在悲啼，鷓鴣在哀鳴，

當伊泣到最後的一聲呀，便也

仆倒在他屍上和他同歸于盡了！

那時天空中的明月分外皓潔，

好像讚美他倆這美麗的一死！

好像歡賀他倆脫離軀壳的牢籠，

而自由自在的到靈的天國裏去！

——一九二四，七，八，於宜與西鄉——

35
~~~~~~

~~~~~~愛的花園~~~~~~

我愛妳

I

姑娘！我愛妳——

我愛妳如綠雲般的一頭秀髮．

由妳秀髮裏透出來的香味，

比含露未放的木香花還要馨香，

比盛開枝頭的茉莉花還要芬芳；

但是，請告我，親愛的姑娘：

我此生能否把我的嗅神經，

永遠安放在妳的秀髮中？

II

姑娘！我愛妳——

我愛妳如明星般的一雙慧眼．

由妳慧眼里放出來的光線，

比慈愛的月光還晶瑩，

比溫柔的湖光還要清澈；
~~~~~~

〰〰我　愛　你〰〰

但是，請告我，親愛的姑娘：

我此生能否把我渺小的身軀，

永遠與妳的視線相接？

III

姑娘！我愛妳——

我愛妳如櫻桃般的一張小嘴，

由妳嘴里流出來的唾液，

比桑子葡萄酒還要甘美，

比蜂房裏的蜜糖還要甜蜜；

但是，請告我，親愛的姑娘：

我此生能否把我的嘴兒，

永遠貼在妳嘴下吸收你的唾液？

37

婚禮

在枯草希冀雨露來滋潤似的熱烈的盼望中，
慰藉我生命之乾燥的甘泉居然淙淙地流出；
但是，我用雙手捧起細細地嘗一嘗它的滋味，
滿眶憂傷的淚珠兒却禁不住如落花般紛飛！

吾愛！你千萬不可走如你信上所說的這條路，
假使你確是十分懇摯地忠誠地眞心愛我的。
縱然要走這條路，我倆也要再接個永別的吻，
然後再緊緊的抱着腰兒雙雙地死在一塊兒！

吾愛！你生平不是最愛慕清淡聖潔的西湖嗎？
我倆不妨緊緊的抱着雙雙地去死在西湖裏。
——哦！不不，我倆不是去雙雙地死西湖裏，
實是我倆去快樂地行最後的甜蜜的結婚禮。

婚　　禮

借水晶宮做我倆行結婚禮的莊嚴的大禮堂，
閃閃如碎玉飛飄的浪花做我倆錦繡的羅帳，
汹汹如萬馬奔騰的波濤做我倆暖和的被衾，
綠綠如翡翠般的浮萍就做了我倆的鴛鴦枕。

日間我倆要在岳王墓前我倆要在西冷橋畔，
情手緊緊地攙着情手愛心緊緊地貼着愛心，
齊着步兒與並着肩兒在淺草地上徘徊不已，
任興地儘情地欣賞着大自然的美麗的景緻。

夜間我倆更要坐着花瓣編成的輕妙的小艇，
在湖岸旁在湖心中不住的舒徐地盪來盪去。
碧天裏的明月把我倆的雙影倒映在碧波裏，
搖搖幌幌的像一對比目的蝶魚在那裏嬉戲。

當我倆夜泛得興盡意懶而身子疲倦的時候，
便捨了艇兒半羞半喜地共入那錦繡的羅帳。

〰〰愛 的 花 園〰〰

絕對不受任何人的干涉，不受任何人的妒嫉，

唯一只管親親摟腰試同眠，並頭共寢合歡枕。

在合歡枕上接我倆長時間蜜蜜的嫩嫩的吻，

用我舌尖兒鑽入你舌尖的深處相交而游行，

把我倆唾液調均，那裏是你我的將分辨不清，

啊，吾愛！這種甜妙的生活此生何曾嘗過半分？

謝某女郎贈我秀髮三縷

承妳贈給我的三縷秀髮，
如今我要懇摯地來謝謝妳！
女郎，我的美麗的女郎！
如今我要懇摯地來謝謝妳！

它好像是千百根輕軟的愛帶；
又好像是萬億縷細長的情絲，
緊緊地纏住我的心兒，
也緊緊地纏住我的靈魂。

使我的心兒使我的靈魂，
整日整夜在愛的花園裏，
如醉一般躺在玫瑰姑娘的懷裏；
如夢一般枕在薔薇女郎的臂上。

愛的花園

玫瑰懷裏的溫柔的香，

薔薇臂上的細膩的味，

一陣陣輸入我鼻觀裏，

快樂得我像死去一般無異！

呵，女郎，美麗的女郎！

到我死時，還要把它帶在身邊；

它和我雙雙地同睡一槨呀，

就彷彿於妳和我摟抱着同睡一棺了。

送澤培還鄉

是別情是離緒，是消魂是斷腸，
滾滾的江濤在我們面前飛跳奔放？
是示征船方向，是送你安抵故鄉，
獅吼般江風在我們耳邊呼呼作響？

浪子，你心切莫愀愀，滬濱不可久留，
你且別我歸到你憎愛並存的故鄉去，
待着來年上林花開綠意酣濃的時光，
我們又可暢叙離衷而同醉葡萄酒漿。

在歸途中，我不願你憶起東西飄流的痛苦，
也不願你想起我們昨晚燈畔的淒涼別語！
浪子，萬種傷心事，我們不幸的命運早已註定！
如今只有放開胸懷迎受那命運種種的厚賜！

43

愛的花園

我不含淚唱陽關，也不吞聲唱驪歌，
但遙望着茫茫的江天發出笑聲呵呵！
浪子，你也千萬不要別淚與江水共滴，
但願也迸出一絲笑聲作留別我的紀念！

一九二六，一，一一，于上大。

擷花遺所愛

軟軟而醉人的春風，

　吹綠了溪梢頭的柳條；

綿綿而細碎的春雨，

　灑紅了假山上的桃花。

柳條千點綠，

　桃花萬點紅。

溪梢頭，假山上，

　紅綠相間好風光！

紅綠相間好風光，

　一個豔裝少女來欣賞；

——當微風初停時，

　當細雨新過後。

〰〰愛的花園〰〰

一灣眉黛如柳條，

　粉紅面頰勝桃花；

天上嫦娥，人間西施，

　也比不上她的美麗！

她紛揚着散亂的雲髮，

　飛飄着輕輭的衣裙，

行舟似的，遊魚似的，

　輕輕地穿過柳陰至桃下。

桃的紅，頰的紅，

　紅在一起紅更紅；

花的香，人的香，

　香在一起香更香。

她敏捷地蹺起足跟，

　輕快地舉起她的柔荑，

擷花遺所愛

揀花朵繁開的枝頭上，
　採擷了一束新放的鮮豔的花朵•

採擷了一束新放的鮮豔的花朵，
　彷彿在海畔拾得珍珠一樣寶貴，
彷彿在地下掘得寶藏一樣稀奇，
　她面上現出無限的快樂與歡喜！

在晚風初起夕陽斜照時，
　她笑容滿面得意洋洋的，
延着九曲欄杆，踏着碧綠淺草，
　向林的深處姍姍地行去•

風兒拂着柳條，拂着桃花，
　息息鮮鮮地發出清脆的音樂，
黃鶯兒依着節奏唱着歡送歌——
　歡送她去會她的情哥！

47

～～～～愛 的 花 園～～～～

——一九二四，六，二二，於嗁鵑[illegible]——

滿園的落花

一夜北風起，

滿園花落盡，

非特無人來過問，

連那尋芳的粉蝶，

也不再到這里來和她親近；

嗡嗡的蜜蜂，

也不再到這里來和她歡吻。

可是，花落無人問，無物親，

這原是用不着傷心；

最可嘆，

祗是那號稱仁慈的一陣陣的朝雨，

面上雖掛着「滋育萬物」的黃金字，

到終却還把它花花朵朵地，

打得深深地陷入污濁的泥濘里！

～～～愛的花園～～～

啊！安得多情的黛玉再生？
用錦囊收着你的髒骨，
築一個香塚把你埋殯！
又安得多才的夢霞復活？
靠庭畔鑿成一個小小的洞穴，
把殘英片片瓣瓣地葬盡！

唉！滿園的落花呀！
你何不幸生長在這時代？
又何不幸飄落在這園裏？
你去，
你快尋那多情的黛玉去；
你去，
你快尋那多才的夢霞去！

愛　情

從前我的愛情，

　　好像是空中的千萬根遊絲，

到處飛舞，到處飄颺！

　　只要逢着一個年輕的姑娘，

便絲絲縷縷的把她纏住了。

　　可是，自遇着美麗的妳後，

我的愛情便有了眞正的歸宿，

　　却不像前日般的逢人便施了。

喲，我的唯一的愛人呀！

　　如今我願把我胸腔中所有的

比火還熱海還深的愛情，

　　統統地贈給妳一個人。

憑她豔絕麗絕的王嬙再生，

　　嬌絕嫩絕的貂蟬復活，

我也不願分一絲一毫給她，

　的確的，我也不願分一絲一毫給她！

但愛……

我不願瞧伊愉快時的笑容，
也不願聽伊歡樂時的笑聲；
但愛看伊憂鬱時的淚容，
但愛聽伊愁苦時的泣聲！

伊憂鬱時的汪汪的淚容，
是多麼的妍豔可愛！
帶雨的梨花，含露的百合，
也沒有伊這樣的嬌嫩而嫵媚！

伊愁苦時的嚶嚶的泣聲，
又是怎樣的悅耳可聽！
悲鳴的夜鶯，哀啼的杜鵑，
也沒有伊這樣的清脆而悽愴！

愛 的 花 園

我每瞧到伊汪汪的淚容，

我每聽到伊嚶嚶的泣聲，

胸頭的煩惱便化作一縷縷的輕烟，

飄散到那虛無縹緲之鄉去了！

——一九二三，六，六，於宜興坂陸村——

秋風秋月

秋風呀，你爲什麼不吹呢？
你吹吧，你努力的吹吧！
請用你神祕無邊的風力，
把我小妹妹的幽靈，
吹得飛過重重的山，
吹得飄過重重的水，
而來和我深夜裏的夢魂相會。

秋月呀，你爲什麼躲在雲端裏呢；
出來吧，你快探出頭來吧！
請用你清淡幽潔的光輝，
照着我小妹妹的幽靈，
好好地飛過重重的山，
好好地飄過重重的水，
而來和我深夜裏的夢魂相會。

漂泊者的輓歌

數年來到處流浪，

走遍了天涯，

踏盡了地角，

終于找不到埋尸的墳地；

如今呀，無意中，

却得到這個美好的場所。

啊，漂泊無定的我呀！

今後你却可得到暫時的安息了！

在這裏，

可以聽蕭蕭的松風，

可以看洶洶的海濤；

在這里，

可以送殘紅的斜陽，

可以迎娟潔的素月。

漂泊者的輓歌

惜我的既不能來到這里，

愛我者也無從而知！

我將謝絕人間的一切，

不問世事怎樣變幻，

也不管祖國的盛衰！

唯讓慘淡的夜月，

照着我荒草淒淒的孤墳；

唯讓淒涼的蟲聲，

伴着我冰冷殭硬的屍身！

我的屍身，

用不着黑漆棺殮，

也用不着錦繡包裹！

只要幾片枯葉，

鋪在尸體的週遭；

只要幾朵落花，

覆蓋着我的尸身。
然後呀，再用一堆黃土，
把他深深地埋葬！

埋葬在黃土下的屍身呀！
你不要悲傷你的孤獨，
也不要哀嘆你的寂寞！
雖則沒有如花的少女，
到墓畔來爲你嚶嚶地啜泣；
雖則你一切的親人，
不能來到墳頭上唏噓地祭奠；
但有夜深的蕭蕭的白楊，
爲你披上冷月的孝衣；
更有幽凄的哀鳴的夜鶯！
爲你唱着慘痛的輓歌

數年來到處流浪，

漂泊者的輓歌

走遍了天涯，

踏盡了地角，

終于找不到埋屍的墳地；

如今呀，無意中，

却得到這個美好的場所。

啊，漂泊無定的我呀！

今後你却可得到暫時的安息了！

——愛的花園——

何處去逃生

憑它春光如何的明媚，

憑它花兒如何的鮮豔，

但總沒有你這樣的美麗；

憑它秋月如何的晶瑩，

憑它繁星如何的皎潔，

但總沒有你這樣的光明。

我覺得：在這沙漠般的世界裏，

只有你這張如花似玉的臉兒，

才是我心的園地裏唯一的花朵；

只有你這盞碧玉琉璃的智慧燈，

才是我心的密室裏唯一的光明。

我有了你，

世界上的一切都可不要，

~~~~~~~~何處去逃生~~~~~~~~

因爲你比世界還要偉大，

世界上所有的一切，

你統統都有，并統統都能賜給我。

但是，親愛的安琪兒呀！

如今你已不是我的了！

你的心也許依舊如從前般的愛我，

我倆的愛情也許依舊是一成不變；

但你此後畢竟是屬于他人了！

唉，可憐我在這人生道上，

在這荆棘叢生豺狼咆哮的人生道上，

勞心勞力的一步步地走了十九年，

好容易得着你這個英勇同伴。

方多謝你執着寶刀斬除了荆棘豺狼，

領着我逍遙自在的向平坦大道上前進，

却誰知也沒走上幾日的路程，

61
~~~~~~~~

愛 的 花 園

勇敢的你却又被人家奪去了．

　　唉，現在呵！
可憐我現在是：
　　舉首望蒼天，
燦爛的太陽早已溜下山去，
美麗的晚霞也在天邊消失；
　　低頭看大地，
見不到一線熒熒的微光，
也見不到一曲淙淙的清溪．
　　近處，惟有一片無限的黑暗，
如鉛般重的緊緊地壓到我身上來；
　　遠處，更有咆哮着的豺狼，
排山倒海似的奔跑到我身邊來．
　　啊啊，我的愛的人兒呀！
穿黑衣的神快來和我接吻了，
　　我將到何處去逃生？

何處去逃生

我將到何處去逃生？

63

〰〰愛 的 花 園〰〰

池中的蓮花

——贈蓮茱——

晨鳥開始工作、朝旭正在東升，

曉風里，我獨自在荷池畔徘徊；

含露的蓮花好像曉得我的心事，

故意把伊醉人的香味送來我聞，

哦！我陶醉在這種風荷香裏面了，

我眼前除了密密如綠色的毯子的荷葉，

鮮紅如處女雙靨似的蓮花外，

什麼也沒有，什麼也不見了！

啊！清麗的馨香的蓮花呀！

我含羞的告訴你：我很愛你，

并且，我很想採摘你一朵！

養在我溫暖的胸窩中。

〰〰池中的蓮花〰〰

我將用全部的精力愛護你，
我將用全身的血液灌溉你，
好使我這顆寂寞的心兒，
得着你一個終身的伴侶・

但是，清麗的馨香的蓮花呀！
你爲什麼朵朵盡開在池的中央？
使我想採摘你呀，却又無法，
使我要捨棄你呀，心又不忍！

採摘你無法，捨棄你不忍，
啊！清麗的馨香的蓮花呀！
你雖和我近隔咫尺，
却好像遠隔着千萬重雲山！

〰〰愛 的 花 園〰〰

去　　了

——出家時的詩——

（序言）去歲一月十四，受一極大之刺激，一時憤不欲生；滿擬看破紅塵，遁入空門．當余離家前一夜，曾含淚忍痛草成出家詩一首，置余母之帳頂內．後因種種的關係，决未能實行！然至今每一回念此事，尤不禁兩淚雙下，肝腸寸斷！噫！人生而欲至於出家，斯已傷心矣；今余欲出家且不得，不更傷心乎？茲以此詩錄入愛的花園，一則稍洩余心中之悲哀，一則俾同情者諸君知天下尚有一如是可憐之我！

去了！

我决意出家去了，

母親，親愛的母親！

從此永遠地拜別你妳而去了！

~~~~~~去　　　　了~~~~~~

十九年來養育之恩，
我非不知；
可是事已至此，
我也顧不得什麼了！

我也顧不得什麼了，
母親！但願妳想開些，
今後別再念起我；
譬如當初沒養我吧！

姊姊很孝順，
一生雖也多愁多恨多病，
但姊夫一旦回國了，（註一）
妳老來也別愁沒靠呵！

從此家中雖無後了，

可也不至永遠地斬斷了曹氏的血食；

保金寶寶大了，（註二）

好叫他來過房立嗣呵！

去了，

我決意出家去了！

母親，親愛的母親！

從此永遠地拜別妳而去了，

註一：姻兄韶生，旅法八年，至今尚未返國。

註二：保金係舍姪，

一九二四，一，二二，于坂陸村。

別芙蓉

我親手栽植的一株芙蓉，

我親手灌溉的一株芙蓉，

別了，

如今我要開始和妳別了！

此別不知是二年三年？

還不曉得是四載五載？

後會不知在深夜夢裏？

還不知道在黃泉路上？

我非薄情者，

也非不知愛花者，

但因爲有不得已的苦衷，

雖不忍別也不得不和你別了！

愛的花園

別儘別了，何用悲哀呀？
我倆遲早總要有一別呀！
不過，我吃辛吃苦培養妳到這麼大，
却沒有見到你開一朵鮮豔的花！

『自己栽花自已賞』，
可惜我自己栽的花竟不能自己賞了！
以後不知被誰來採去？
更不知採去插在誰的花瓶裏？

別了，
如今我要開始和妳別了！
我親手栽植的一株芙蓉，
我親手灌溉的一株芙蓉。

——一九二四，一，一六于賴江溧台旅社——

註：此詩是我預備出家的時候，含淚寫了寄給我的愛人的；至今讀之，尤覺愴然欲涕！

絕　食

母親！你不要勸我吧，

你快自己去吃飯吧！

我在生命道上走了二十年，

人間的茶飯我已吃夠了！

從今後，我無論如何不願

再喝人間一滴水，

再吃人間一粒米，

母親！你不要勸我吧，

檯上的飯冷了，

你快自己去吃吧！

呀！你爲什麼要向我流淚呢？

這是一樁極平常的事，

是値不得你老人家流淚的。

你可知道，我的母親！

愛的花園

五月裏的薔薇花，

無論你把什麼甘露來滋潤她，

無論你怎樣用精力去愛護她，

但她不久總要凋零而枯萎了！

可憐現在的我，

雖尚在青春時代；

但我知道，却已到了衰老時期了！

任你用人間什麼寶貴東西來給我吃，

但我終沒有起死回生的希望了！

呀！你爲什麼又要向我哭泣呢？

就是我死了，

還用不着你這樣傷心；

何況現在的我，還沒有死呢？

母親！你快揩乾了眼淚去吃飯吧！

如今我是很快樂的，

幷且，我不久將微笑地離開這世界了，

絕　　食

你快去吃了飯給我料理後事吧！

你快去吃了飯給我料理後事吧！

呀！我的母親！

你不要儘是這樣向我流淚！

你不要儘是這樣向我哭泣，

假使你是眞心愛我的，

現在我對你還有一個請求，

———此生此死唯有這個請求——

請求你在我死後，

到我的愛人那塊去，

賊她替我做一塊大大的墓碑，

墓碑上將深深的鐫着這幾個字：

『此地長眠着一個

爲我絕食而死的薄命詩人』•

——于徐舍西鄉，道坂陸村——

73

我已不爲你悲哀了

我已不爲你悲哀了，我妹！

你純潔的來，

你純潔的去，

沒沾一點生的罪惡，

沒染一些生的汚濁；

呵，我當如何爲你慶幸！

我更當如何爲你歡欣！

如今，呵，我妹！

我再不因你的死而哭泣了•

悲哀的浪濤，

已飛出了我的腦海；

唯有你臨死時的甜蜜的微笑，

永永地深鐫在我的心底！

月　季　花

窗前一盆玉立亭亭的月季花，
經了我點點滴滴心血的灌溉，
現在居然綠葉扶疏，枝頭結蓓了；
我幾多歡喜，幾多愉快呵！

我幾多歡喜，幾多愉快呵！
連日來多情而柔暖的春風，
連日來溫和而細碎的春雨，
使它綠葉更顯綠，蓓蕾更結多了！

我是有美麗的彩色的希望了，
勞心勞力培植它到這麼大，
以後却能得到它的報酬了——
得到它慰藉我生命之乾枯的報酬了•

愛的花園

我想：當它嫩苞初圻時，

我整日的立在它的身邊，

餐秀色以療飢，襲芬芳而解渴，

心靈中不知當感着如何的快樂！

我又想：當它爛熳盛開時，

風過枝頭，我用琴替它奏着舞蹈曲，

看它合着拍裊裊地妙舞着，

心靈中更不知當感着如何的快樂！

但是，唉！這種希望現在却變爲夢想了！

『少爺，L 先生很愛這株月季花，

他叫我星期日移到他的小園里去了』

啊，這不是老園丁昨天對我說的嗎？

唉唉！再過三日的今時，

我這株可愛的月季花，

月　季　花

已移到他的小園里去了；

不能再在這里，永遠不能再在這里了！

月季，袢我的月季喲！

我怎能和妳別？怎忍和妳別？

但倘有何法？我是一個弱者，

他是………他是一個强有力者呵；

他是一個强有力者呵，

我是一個弱者！

妳想：一個弱者，

怎敵得過一個强有力者呵？

啊，月季，親愛的月季喲！

往昔妳是我靈魂的寄托所，

你是我生命的救主，

你是引我向光明路上去的--盞明燈。

77

愛的花園

今後呢，別了妳的今後呢，
誰來做我靈魂的寄托所？
誰來做我生命的救主？
誰來引我向光明路上行？

唉唉！妳忍心任我靈魂隨處飄泊嗎？
妳忍心任我生命沒救嗎？
妳忍心任我走入黑暗道上嗎？
然而，唉！妳不忍心又有何用呵？

◎ ◎ ◎ ◎

沙…………沙…………沙…………
驀地一陣秋風似的春風吹到它身上，
它感着別離的悲哀，
嗚嗚咽咽地痛哭起來了！

葉兒失聲地向我訴語，

月　季　花

蓓蕾默默地向我喑吟，
訴訴吟吟，
早把我這顆愁心兒撕得寸寸碎了！

我閉目回想以前種種的夢想，
我睜眼看看現在這樣的情景，
淚珠兒不禁撲簌簌如雨一般的下來；
并且，不知不覺嘔嘔嘔地哭起來了！

然而，流淚有何用呀？
哭泣更有何用呀？
——流淚徒然，
哭泣也是徒然！

唉唉！月季，親愛的月季喲！
今後我再也不願住在這里了，
并且，我還要先妳而別了；

79

〰〰〰愛 的 花 園〰〰〰

我是不忍星期日見妳別我呀！

我曉得，此舉必傷妳的心，
但是，我也顧不得什麼了。
反正我倆總要別了——
遲早總要別了！

別悲傷吧，
別哀痛吧，
月季喲，我親愛的月季喲！
且聽我的臨別贈言吧！

且聽我的臨別贈言吧：
那邊如血一般紅的桃花兒，（註）
那邊如雪一般白的李花兒，
妳千萬別和它們爭妍鬥豔呀！

〰〰〰月　季　花〰〰〰

那邊有妳的兄弟在，

那邊有妳的姊妹在，

當妳和它們初次結交時，

須要小心而謹慎，恭敬而有禮！

小燕兒停在妳花上歌唱時，

黃鶯兒息在妳枝間絮語時、

妳斷不可憤怒它們；

因為它們都是妳的保障者呵！

可是，當美麗的蝴蝶來逗引妳時，

嗡嗡的蜜蜂來誘惑妳時，

妳千萬別一往情深；

須知它們都是薄倖兒呀！

最後，請妳永遠記着我一句話：

歡樂時，悲苦時，

81

愛的花園

常常念念妳這個舊主人——

把點點滴滴心血灌溉妳成長的舊主人。

註：那邊指小園言。

鳩奪鵲巢

一隻小小的喜鵲，
無日無夜勞心勞力地，
在杈枒着的樹枝里，
造成一個精密的窠兒。

窠里溫軟的淸香的蘆花，
做牠夜眠的被褥；
窠外覆蓋着的碧綠的葉兒，
做了牠床上的帳幃。

驀地裏飛來一隻鳩鳥
兇兇地，狠狠地，
霸佔了牠的窠兒——
毫不客氣地霸佔了牠的窠兒。

愛的花園

可憐牠，可憐怯弱的牠，
只得逃避在別棵樹枝上，
悲悲切切的哭着——
哭着牠的命運不齊，遭遇不幸！

哭着牠的命運不齊，遭遇不幸，
可是始終不敢抵敵一陣——
不，不是不敢抵敵一陣，
爲的是，愛惜牠自己的窠兒。

牠不願牠精密的窠兒，
作牠和牠的戰爭地
牠深知牠的窠兒要作犧牲品，
假使牠去和牠抵敵一陣。

——失戀後三日作——

病中歌悲

負笈在異鄉兩年，

可憐我--無成績！

除了徒增馬齒外，

只贏一身愁與病。

故鄉雖是我敵國，

究比異鄉好--點。

異鄉風味已嘗夠，

今後不願再勾留。

趁着如箭的火車，

換着如梭的輪船；

滿懷着綠色希望，

急忙回到我故鄉。

愛的花園

回到了我的故鄉，

　却使我大大失望！

　　懷着的綠色希望，

　　　不知已逃向何方？

只有灰色的悲哀，

　重重現入我眼簾．

　　啊啊！我的故鄉呀！

　　　原也是一座愁城！

我困守在愁城里，

　好像沈在恨海底；

　　雙眉整日不開峯，

　　　兩淚終夜流如注！

有時也苦笑幾聲，

　有時也狂哭一場．

病中歌悲

人都說我發了瘋，

其實何嘗是發瘋？

瘋子能感悲哀嗎？

瘋子能知傷心嗎？

朋友！你別疑我瘋，

且聽我詳述苦衷：

我是人間漂泊者，

也是人間可憐人，

上無父兄可依靠，

下無弟妹相攜從！

堂上雖有一老母，

髮已蒼白齒已脫，

終日痛夫傷子女，

雙袖龍鐘淚不乾！

87

愛的花園

欲喚我的父兄吧？
　喚來喚去終不應；
　　慰我白髮老母吧？
　　　想盡方法終無歡。

欲叫喊我的弟妹？
　弟妹不知在那里——
　　弟弟一生未見面，
　　　妹妹早從父兄去！

父已死去十餘年，
　墓木已拱骨早寒，
　　傍晚徘徊墓前後，
　　　只見斜陽不見人！

兄也死去十餘年，

病中歌悲

遺書尙留我櫥間，

人亡物在自古傷，

何況又是一個我？

妹雖死去近二年，

墓草青黃已兩易；

今又現在我眼前，

叫我如何不傷憐？

哦！我現在又病了，

病得比前更凶了！

唉！回鄉原想養病，

不料更深進一層！

倘病死倒也干淨，

人生失望的滋味，

原來我不願再嘗；

89

但却偏偏病不死！

在病里邊的光陰，
何等苦痛而難熬！
飲的只有苦的藥，
吃的只有淡的菜！

苦的藥與淡的菜，
你不願吃也要吃·
老母端在你嘴邊，
眼淚汪汪强你吃！

唉！我呀，如今的我！
可憐什麼也沒有！
眼淚早已流過空，
熱血也已變爲枯！

病中歌悲

園中花兒開和落，
天上月兒圓與缺，
星辰雲霞明或暗，
我也無心來管牠。

我並不是厭惡花，
我並不是厭惡光；
因我見了花與光，
便有無限的悲傷！

唉唉！花落終能開，
月兒缺了終能圓，
星雲暗了終會明；
惟我是這樣長病！

惟我是這樣長病！
何年能病去干淨？

〰〰愛 的 花 園〰〰

何時能康健安甯？

問上帝也說不淸！

啊！園中的花影呀！

你別映上紗窗吧！

我這垂死的病軀，

用不着你來薰陶！

啊！如銀的月光呀！

你莫射入珠箔吧！

我這垂死的病軀，

用不着你來照耀！

啊！天空的星雲呀！

你別這樣悠遊吧！

我這垂死的病軀，

用不着你來點綴！

病中歌悲

哦！我今請求你們，
快快地離我而去！
去到那愛的樂園，
照人家雙雙團圓！

你莫說我不愛花，
你莫說我不愛光，
實爲我病到這樣，
什麼不該我欣賞！

什麼不該我欣賞，
什麼不該我受享！
何況是美麗的花？
何況是燦爛的光？

註：此詩爲去年暑假回鄉後所作，作後卽

93

~~~~~~愛 的 花 園~~~~~~

寄呈徐雉兄；不意爲洪喬所誤，以致
原稿無影消滅。今追憶及此，已失廬
山眞面矣！

一九二五，十，四，誌于上海大學。
~~~~~~

母親的眼淚

我的母親的眼淚，

　是聖潔而神祕的！

當我起了堅決的毒心，

　執着寶刀去殺我的敵人，

任何人不能壓制我，

　任何人無法勸住我；

但只要母親向我滴下一滴眼淚，

　我殺敵的勇氣，

便會在無形中消散了！

月夜採菱

落日剛把世界交給黃昏，

　一輪纖月又從東方高昇；

那幽潔的白銀似的光輝，

　照得大地如浸晶水在瓶內。

在這樣溫柔而靜美的月夜里，

　我獨自一人駕着一葉扁舟，

如浮鷗似的，如飛雁似的，

　向遠遠的菱塘那邊劃去！

清風在後面相送，

　綠水在前面歡迎，

船頭上二三閃閃的螢螢，

　像是引着這隻孤舟前進！

〰〰〰月夜採菱〰〰〰

呀！菱花是如此如此地白，

　菱葉是如此地如此地密，

舟兒行到菱塘的入口呀，

　却被菱花菱葉礙得劃不進去了！

于是我放下了撥水的槳兒，

　俯着身子便到池面上去採菱；

不料手兒也未伸到水裏，

　一條白魚却潑剌的跳上船來！

等到鮮紅的菱兒採得盈船，

　畫意與詩情也已偷得滿船；

在明月斜挂樹梢的那時呀，

　我却載着滿船的菱兒和畫意詩情歸來了！

——一九二四，八，于宜興徐舍西鄉桃蹊綠村——

97

～～～～愛　的　花　園～～～～

母親的哭泣

啊，我的母親！

你爲什麼一聽到晨雞報曉，

便要潸潸地流淚呢？

更爲什麼一遇到風雨夜，

便要嘔嘔地哭泣呢？

啊，你是在哭十多年前死去的父親？

你是在哭十多年前死去的哥哥？

還是在哭剛死去的天眞伶俐的小妹妹？

母親，啊，我親愛的母親！

我求你別要哭吧！

你莫過于爲小妹妹哀傷，

也莫過于爲小妹妹担心；

伊在泉下有哥哥愛，

母親的哭泣

伊在泉下有爸爸愛，

他們自有他們的家庭，

他們自有他們的歡樂。

母親，啊，我親愛的母親！

我求你別這樣哭泣吧！

～～～愛 的 花 園～～～

還　　鄉

一旦回到我久別重逢的故鄉，

不知怎樣忽起了一段無名的悲傷；

見了我搖搖欲仆的母親，

更不由得以淚眼相向！

當母親端茶給我喝的時分，

我的熱淚如雨一般的向着下滾；

我看了她那雙乾癟的枯手，

悲哀如石頭般的緊緊地壓在我的胸頭！

我忍痛地將這杯熱茶——

母親所賜給我的愛的甘露，

和着滾下的眼淚一齊吞下•

把我客中所遭的不幸，

把我母親在家中勞動的辛苦，

統統都埋葬在我心的深處！

餞 別

沈淪在凄涼海裏的我，方慶今年的幸運，
得與童年的伴侶剪燭西窗，聯床話舊；
可是人生聚散無常，在這一刹那間，
却又一個個如勞燕般的向東西分飛！

現在：共歡笑的良朋均已分袂，
共哭泣的好友也都已－－－－遠離！
唯有我呀，唯有可憐的多病的我呀！
依舊困守在死的故鄉的田園里！

然而，朋友，我的親愛的朋友！
此時還有一個同情的你和我朝夕相處，
分擔這寂寞與凄涼的相思的況味；
今天呀，誰知同情的你又要別我而去！

餞　別

哦！同情的你又要別我而去了！
此後這痛苦的况味還有誰來和我分担？
那些在我身旁的行尸走肉的人們，
心填鐵石，是再也興不起同情之波呀！

唯有舊時伴我們歡樂的星晨和明月，
在更深人靜時也許得到它們一些慰藉；
但是，我的親愛的朋友！請你告訴我：
假使星沒月落了，又到何處去求慰安？

唉！休回憶過去吧，也休遠慮未來吧！
過去終于是過去了，未來終于是未來呀！
我們快趁現在，未別的一剎那的現在，
把葡萄美酒來儘情地痛飲一場吧！

呀！我且把我臉上所有的淚痕揩乾，
并把我為你而碎的心兒重行收起；

～～～愛的花園～～～

在我憔悴的頰上微露一絲慘淡的笑容，

而起立進你三杯美酒，願你一杯杯領受！

第一杯是為的你，我希望你飲了它，

脫離黑暗的苦海，走進光明的天國；

在天國裏將得着新的努力和新的覺悟，

歸來時，更帶着「光明」的禮物來贈給故鄉•

第二杯是爲的我，我希望你飲了它，

在心靈的深處撒下「毋忘我」的種子，

讓將來萌着新綠而細嫩的芽兒，

更讓將來開遍鮮妍的「毋忘我」的花兒！

第三杯是爲的故鄉，我希望你飲了它，

永永遠遠別要忘記了我們的故鄉，

故鄉裏雖是遍地荆棘，處處黑暗；

但改造的責任，畢竟是我們所應負的呀！

小妹妹的微笑

我一生的快樂，

盡寄在我小妹妹的微笑中•

伊的微笑，

像是霞光朦朧的清晨裏，

荷葉上滾滾的晶瑩的露珠一樣•

我每感到失意而傷心的時候，

只要一看見了伊的笑容，

我的悲哀，

便隨着伊露珠般的微笑溶化了！

——一九二二，八，二，于桃瓣綠村

讀西廂記『酬韻』後戲作

月兒明，花兒香；

　月明花香，

如花的人兒步回閨房。

　剩下的，

是她的蘭麝幽香，

　帶去的，

是我的靈魂心腸！

　可憐我踮起脚尖兒遠望，

早不見那可憎模樣，（註）

　但聞得環佩響叮噹！

　　註：可憎即愛極的反語，其實就是可愛。

送鶯鶯歸去

花有香，

月有陰，

夜闌更深萬籟靜，

我送愛人兒轉家門；

送至香階下，

執手話衷曲，

我的淚珠兒如泉湧，她的嬌聲兒似鶯啼！

猛抬頭，

曉光已朦朧，

寺鐘也叮陳，

千不忍，萬不忍，

到此也不得不分手！

是篇爲讀西廂記『酬簡』後，戲代張生作。非詩非詞，不新不舊，聊以洩吾胸中之牢騷耳！

〰〰愛的花園〰〰

想　　郎

工

在燕歌鶯啼，重遊公園時，
　想起我如花的郎兒來了•
唉，我的如花的郎兒呀！
　你曾否記得：我倆在公園裏初會，
梨花靜靜的睡在太陽的懷裏，
　綠柔柔的柳條，紅噴噴的桃花，
不時的散出一縷縷醉人的清香，
　我倆在紫籐架下的涼陰裏，
肩兒並着肩兒的坐在睡椅上，
　大家低頭含羞的默默無語•
迎面上的風，吹在我迎風飄翠的額髮上，
　一根根便如青色的飄帶般的舞動！
我偶然抬起頭來偷看你一眼，
　不料你却正在凝神地瞧我，

108

~~~~~~想　郎~~~~~~

于是我的臉兒紅得如牡丹花一樣的了，

你的臉兒也紅得似夾竹桃一樣的了。

啊，那時是何等的愉快呀！

如今呢，唉！可是如今呢，

儂雖依舊是在這里遊玩，

但涼蔭中却沒有我郎兒的蹤跡了！

II

在百無聊賴，散步虎丘時，

又想起我如花的郎兒來了，

唉，我的如花的郎兒呀！

你曾否記得：我倆月夜相會，

你在虎丘的四週不住的來往徘徊，

我低着頭兒緊緊地跟在你後面；

有時你故意慢些和我並着肩兒走，

走到花木濃密四圍無人的地方，

你便伸出手兒來握着我的臂膊，

我的臂膊像是觸着電流一樣；
~~~~~~

一時連全身的知覺都已失喪！

身旁的花的美麗，草的芬馨，

和溪中琮琮錚錚的流水，

花枝間瀟瀟淅淅的風聲，

統統地都逃出了我的視覺聽覺；

在我心的深處所感着愉快的，

唯一只有你這隻雪白的纖小的手兒．

啊，那時是怎麼的歡樂呀！

現在呢，唉！可是現在呢，

儂雖依舊在這里散步，

但去年同遊的人兒却不知到那里去了！

III

在晨光滿窗，開鏡曉妝時，

又想起我如花的郎兒來了．

唉，我的如花的郎兒呀！

你曾否記得：我送你到蘇州去，

半途上住在無錫新世界旅館內，

想　　郎

為了要趕早車的緣故，

在曉光朦朧中便起床了。

你在花影掩映的窗前漱洗，

我含羞的在鏡台旁理髮；

你忽地停着牙刷凝神地瞧我，

我笑嚼着亂髮吐在你的頰上，

你頰上却頓時泛上兩朵紅雲。

啊，那時是何等的快暢呀！

而今呢，唉！可是而今呢，

儂雖依舊在這里曉妝，

但窗下看妝的郎兒却長眠在白楊樹下了！

IV

在更深人靜，萬籟無聲時，

又想起我如花的郎兒來了。

唉，我的如花的郎兒呀！

你曾否記得：你病重的幾天，

我朝夕到醫院裏來看你，

111

愛的花園

你時常向我洒着眼淚，

哭訴你二十年來遭遇的不幸！

我屢次勸你在病里當靜心修養，

萬萬不可東牽西纏的胡思亂想；

就使要想，也不要想起悲哀事情，

只要想想我倆過去的薔薇路上的

一段美妙多趣的甜蜜的生涯就好了。

并且屢次安慰你，等你病好後，

我決計依你私奔到西湖去和你結婚。

啊，那時是怎樣的希望呀！

現今呢，唉！可是現今呢，

儂雖依舊在這里夢想，

但被我夢想的人兒却早已脫離塵世了！

——於宜興桃發綠村啼鵑室——

註：我覺得『郎兒』兩字比『愛人』美麗。

花木蘭文化事業有限公司聲明啓事

此次《民國文學珍稀文獻集成》出版，有賴各位作者家屬大力支持，慨然允贈版權，遂使這巨大的文化工程得以開展。本公司全體同仁在此向各位致以誠摯的謝意！

由於民國作者人數眾多，年代久遠且戰火頻繁，本公司傾全力尋找，遍訪各地，能夠找到的後人，得其親筆授權者，爲數甚寡。更多的情況是，因作者本人下落不明，連版權情況都無從知曉。

因此，本公司鄭重聲明：

此叢書所錄專著，凡有在版權期內而未授權者，作者家屬可與本公司聯繫，本公司願奉送相關贈書 50 冊爲報酬，補簽授權協議。

望家屬看到此通知後與本公司聯繫。聯繫信箱：hml@vip.163.com

花木蘭文化事業有限公司